Healing with scenery

임흥빈

Healing with scenery

발행		2024년 4월 29일
저자		임홍빈
디자인		어비, 미드저니
편집		어비
펴낸이		송태민
펴낸곳		열린 인공지능
등록		2023.03.09(제2023-16호)
주소		서울특별시 영등포구 영등포로 112
전화		(0505)044-0088
이메일		book@uhbee.net

ISBN | 979-11-94006-17-6

www.OpenAIBooks.com

Healing with scenery

임흥빈

목차

1.파리, 프랑스 1~4p

붓에 담긴 마음을 자유롭게 녹여내며, 당신만의 특별한 풍경을 만들어보세요.

2.로마, 이탈리아 5~8p

색을 입히는 과정은 마치 마음을 표현하는 예술이고, 이 책은 당신의 예술적인 모험을 돕습니다.

3.도쿄, 일본 9~12p

자연의 아름다움을 느끼며 색칠함으로써, 일상에서 벗어나 여유와 평화를 느낄 수 있을 거에요.

4.이스탄불, 터키 13~16p

색을 섞으면서 느껴지는 행복한 감정들은 마치 햇살 속에서 피어나는 꽃처럼 아름답게 피어날 거에요.

5.뉴욕시, 미국 17~20p

이 색칠책은 마치 햇볕 속에서 미소 지어지는 순간처럼, 따뜻하고 행복한 순간을 선사할 거에요.

6.런던, 영국 21~24p

당신의 마음이 편안해지고 따뜻해지는 색채들로, 이 책은 마치 힐링의 나무 그늘 아래에서 펼쳐지는 이야기같을 거에요.

7.시드니, 호주 25~28p

각 페이지는 당신에게 안식과 휴식을 선사하며, 마음이 가라앉을 수 있는 특별한 장소가 될 거에요.

8.바르셀로나, 스페인 29~32p

우리의 마음을 따스하게 감싸는 색을 찾아서, 자연의 아름다움을 담은 이 책은 행복으로 가득할 거에요.

9.홍콩, 중국 33~36p

색칠하면서 마음의 평화를 찾아가는 여정, 이 책은 그 여정을 따라가는 친구가 될 거에요.

10.프라하, 체코 37~40p

각 페이지는 마치 당신의 꿈 속으로 초대하는 창문이에요. 여기에서 행복과 안식을 찾아보세요.

11.암스테르담, 네덜란드 41~44p

색을 물들이며 자유롭게 펼쳐지는 이 페이지는 마치 마음의 햇살, 행복으로 가득한 나뭇가지 같아요.

12.베를린, 독일 45~48p

각 장면은 마치 당신을 품에 안아주는 풍경으로, 그리는 동안에 행복과 평온을 느낄 수 있는 기회가 될 거에요.

13.서울, 대한민국 49~50p

이 페이지는 당신에게 새로운 관점을 선사하며, 작은 순간들을 크게 소중하게 만들어줄 거에요.

머리말

'Healing with scenery' 컬러링북은 여러 나라의 다양한 도시 풍경으로 여러분을 이동시키고 전 세계 도시 생활의 생생한 다채로움에 잠기게 합니다. 우리의 일상에서 여유와 평온한 순간을 찾는 것은 도전일 수 있습니다.

이 컬러링북은 창의력을 일깨워 줄 뿐만 아니라 치유적인 휴식을 할 수 있도록 디자인되었습니다.

색칠하는 것은 오랫동안 이완과 정신적 안정의 강력한 수단으로 인정되어 왔습니다. 이 복잡한 도시 풍경에 여러분이 선택한 색으로 채우는 과정은 명상적인 실천이 되어 마음을 가라앉히고 스트레스를 완화하는 데 도움이 됩니다. 색칠의 치유적인 과정에 몰입함으로써 이 멋진 풍경들이 여러분 앞에서 고요하고 회복력 있는 장소로 여행하게 되기를 허락하세요.

컬러링북이 영감과 휴식, 치유의 원천이 되기를 바라며, 여러분의 "세계의 색깔" 여행이 여러분의 세계를 색과 평온으로 가득 채우기를 기원합니다. 즐거운 색칠, 그리고 이 도시 풍경을 통한 여행이 여러분의 마음에 평온을 안겨줄 것입니다.

저자 소개

저자 '임흥빈'의 예술적인 여정은 자신의 열정을 끝없이 쫓아가는 결연한 의지의 증명이다. 기계공학을 전공한 것이 많은 이들에게 학문적인 자랑일지 모르지만, 저자에게는 예술의 세계에 뿌리 깊게 박힌 꿈을 실현하기 위한 한 걸음일 뿐이었다. 예술적 표현에 대한 갈증으로 가득 찬 저자는 또 다시 서양화를 전공한 전환적인 선택은 그의 학문적 추구의 방향을 바꿀 뿐만 아니라, 미술의 세계에 대한 깊고 영원한 애정을 기반으로 컬러링북을 출간하게 되었다. 임흥빈의 예술은 색채와 형태에서 회화에 대한 그의 열정을 생생하게 보여준다. 그의 작품은 색의 상호작용과 형태의 자유로움에서 찾아지는 아름다움을 담고 있으며, 상상력과 감정의 영역을 이어주는 독특한 관점을 보여줍니다. 임흥빈의 공학에서 미술로의 이야기는 꿈을 쫓아가는 자들에게 영감을 주며, 예술을 추구하는 것이 끊임없는 창의성과 발견으로 가득한 평생의 모험이라는 것을 상기시켜준다.

작가의 말

안녕하세요, 여러분! 여러 나라의 다양한 소재로 만든 컬러링북으로 따뜻하고 행복한 시간을 공유하려고 합니다.

컬러링북은 마음의 평화와 안정을 찾을 수 있는 훌륭한 방법 중 하나입니다.

바쁜 일상에서 벗어나 자신에게 조용한 순간을 선물하세요.

어떤 색을 선택하느냐에 따라 감정의 표현이 달라집니다. 마음이 불안할 때는 진한 색을 사용하고, 기분이 밝을 때는 화사한 색으로 마음을 표현 해 보세요.

컬러링 북은 자기 자신과 소통하는 과정이기도 합니다. 나만의 색으로 그림을 채우면서 자신의 감정과 생각을 표현하세요. 어색한 감정이나 어려운 일들을 그림을 통해 해소하고, 긍정적인 마음을 가지세요.

이 컬러링북은 세계 각국의 아름다움과 문화를 담아낸 것으로, 색칠하면서 다양한 나라의 아름다움에 접할 수 있습니다. 자연의 풍경이나 다채로운 문양들은 당신의 상상력을 자극하고 특별한 여행을 떠나게 만들 것입니다.

세계 각국의 아름다움을 느끼고, 그 속에서 행복한 시간을 보내길 바랍니다."

따뜻하고 힐링되는 시간을 컬러링북을 통해 경험해보세요.

여러분의 일상에 행복과 평화가 가득하기를 기원합니다.

즐거운 색칠 시간 되세요!

감사를 전하며, 임흥빈

01
파리, 프랑스

붓에 담긴 마음을 자유롭게 녹여내며, 당신만의
특별한 풍경을 만들어 보세요.

**1.부드러운 획으로 흑백 풍경을 화려한 행복의 안식처로
변신시켜 보세요**

**2. 컬러링 북의 치유적인 마법을 경험해 보세요.
여기에서 대자연의 색채가 즐거운 하모니를 창조합니다.**

3. 명상적인 색채의 힘을 느껴보세요.
여기서는 색칠하는 간단한 행위가 스트레스를 날려주고
평온을 선사 합니다.

4. 스트레스를 떨치고 평온을 찾을 수 있도록, 흑백 속에서 살아나는 자연의 풍경에 생명을 불어 넣어 보세요.

02.
로마, 이탈리아
색을 입히는 과정은 마치 마음을 표현하는 예술이고, 이 책은 당신의 예술적인 모험을 돕습니다.

5. 세계 각지의 풍경 컬러링 아트에 빠져 보세요. 여기서 색과 감정의 멜로디가 공존합니다.

6. 컬러링의 의료적인 힘을 경험하세요. 각 색상과 감정 사이에서 스트레스가 거품처럼 사라지고 행복이 탄생합니다.

**7. 행복의 터전이 되는 풍경 컬러링북 안으로
빠져들어 보세요.**

8. 아티스트로 돌아가서, 각 터치가 내면의 조화로운 정원을 향한 한 걸음이 되도록 하세요.

03.
도쿄, 일본
자연의 아름다움을 느끼며 색칠함으로써, 일상에서 벗어나 여유와 평화를 느낄 수 있을 거에요.

9. 자연의 경이로움에서 영감을 받아 당신의 일상에 행복을 불어넣는, 하나의 스트로크씩의 걸작을 만들어 보세요.

10. 창의성의 정원을 거닐며, 조화로운 풍경을 만들어내며 마음의 평온함에 귀 기울여 보세요.

11. 컬러링의 온화한 행위에 빠져들어, 일상의 소요를 잊고 나만의 작품을 만들어 보세요.

12. 컬러링의 치유적인 본질을 찾아보세요. 여기서는 행복의 스토를 품고 있는 풍경들이 펼쳐집니다.

04.

이스탄불, 터키

색을 섞으면서 느껴지는 행복한 감정들은 마치 햇살 속에서 피어나는 꽃처럼 아름답게 피어날 거에요.

13. 긍정의 몸소를 내뿜는 각 컬러로 풍경을 물들여보세요.

각 터치가 평온으로 가득한 마스터피스를 만들어 냅니다.

14. 풍경을 탐험하면서 행복을 불러일으키는, 스트로크가 하나씩 행복의 캔버스로 전환되는 순간을 체험해 보세요.

15. 컬러의 마술로 감정의 표현의 힘을 해제하세요.
색상과 풍경이 행복의 걸작으로
스트레스를 해소시켜 줍니다.

16. 컬러의 마법 속으로 빠져들어 보세요. 색과 풍경
이 당신의 정신에
평안을 선사합니다.

05.
뉴욕시, 미국
이 색칠책은 마치 햇볕 속에서 미소 지어지는 순간 처럼, 따뜻하고 행복한 순간을 선사할 거에요.

17. 컬러로 긍정성을 빛내어, 일상의 요구 사항 가운데 기쁨의 오아시스를 양성해 보세요.

17. 컬러로 긍정성을 빛내어, 일상의 요구 사항 가운데 기쁨의 오아시스를 양성해 보세요.

**19. 컬러의 유니버설 언어로 내면의 기쁨의 음악에 공감
할 때까지 물들여 보세요.**

**20. 컬러링의 산책을 통해 여러 색의 세계로 향하세요.
펜이 행복의 색으로 물들여 나가는 모습을
상상해 보세요.**

06.
런던, 영국
당신의 마음이 편안해지고 따뜻해지는 색채들로, 이 책은 마치 힐링의 나무 그늘 아래에서 펼쳐지는 이야기 같을 거에요.

21. 컬러의 화려한 색으로
따뜻한 광채를 내비치세요.
각 터치가 당신의 내면 기쁨의 빛을 반영합니다.

22. 환한 색채로 감정의 본질에 잠기며, 행복의 색깔이 반영된 풍경으로 변신해 보세요.

23. 여기저기 행복이 깃든 순간들이 펼쳐지는 색의 춤 속
에 빠져 보세요.

**24. 브러쉬로 마음의 감정을 표현하며, 일상의 풍경을
기쁨의 정원으로 양성해 보세요.**

07.
시드니, 호주

각 페이지는 당신에게 안식과 휴식을 선사하며, 마음이 가라앉을 수 있는 특별한 장소가 될 거에요.

25. 행복을 반영하는 풍경 속에서 안정감을 찾으며, 색 채의 무리들이 내면의 편안함을 반영합니다.

26. 컬러의 마법을 통해 치유의 핵심을 발견하세요. 여기서 풍경과 색이 감정적인 웰빙의 태피스트리를 펼쳐 냅니다.

**27. 색채가 당신의 도구를 통해
자유롭게 흘러 나가도록 하세요.
행복이 양성되는 각 터치는
마스터 피스를 만들어 냅니다.**

28. 당신의 일상에 창조적인 소울로 다가가보세요.
행복의 색채로 가득 찬 풍경은 하루에 걸친 작품으로
태어납니다.

08.
바르셀로나, 스페인

우리의 마음을 따스하게 감싸는 색을 찾아서, 자연의 아름다움을 담은 이 책은 행복으로 가득할 거에요.

29. 마음을 따라가면서 색의 춤에 몰두해보세요. 풍경은 안정의 정원으로 양성되는 곳 입니다.

30. 컬러로 감정적 표현의 힘을 발휘하세요. 풍경은 당신의 행복의 책에 각 터치가 되어 펼쳐집니다.

31. 감정의 치유를 위한 색의 여행으로, 행복이라는 테이프스트리가 풍경 속에서 드러납니다.

32. 감정의 노래가 울려 퍼지는 곳에서, 당신의 작품을 위해 스트로크를 각인해 보세요.

09.홍콩, 중국
색칠하면서 마음의 평화를 찾아가는 여정, 이 책은 그 여정을 따라가는 친구가 될 거에요.

33. 색채의 감정이 발견되는 일을 통해, 내면의 기쁨의 아름다움을 풀어내 보세요.

34. 컬러의 심포니를 통해 기쁨을 느껴보세요. 각 스트로크는 기쁨의 음악에 공감 합니다.

35. 컬러의 치유적인 포옹에 빠져보세요. 여기서 풍경은
마음에 평화를 찾을 수 있는 안식처로 변해 갑니다.

**36. 긍정적인 에너지를 내포하면서
페이지를 물들이세요.
각 스트로크는 내면에서 고요를 찾아낼 것 입니다.**

10.

프라하, 체코

각 페이지는 마치 당신의 꿈 속으로 초대하는 창문이에요. 여기에서 행복과 안식을 찾아보세요.

37. 컬러의 명상적인 의식 행위에 참여해보세요. 풍경은 당신의 마음에 평온의 갤러리로 전환 됩니다.

38. 색이 마음의 언어가 되도록 허락하세요. 풍경은 당신의 여정을 행복의 시각 서술로 반영합니다.

**39. 내면의 아이와 다시 연결하여, 영원한 행복의 이야
기처럼 펼쳐지는 풍경을 컬러로 만들어 보세요.**

40. 컬러의 환희를 체험하세요. 풍경은 기쁨의 이야기가 담긴 시각적인 시가 됩니다.

11.

암스테르담, 네덜란드
색을 물들이며 자유롭게 펼쳐지는 이 페이지는 마치 마음의 햇살, 행복으로 가득한 나뭇가지 같아요.

41. 컬러의 명상적인 리듬에 빠져들어, 스트레스가 행복의 걸작으로 변해 갑니다.

42. 감정을 컬러로 표현하는 예술을 발견하세요. 풍경은 당신의 정신을 안정시키는 기쁨의 서곡을 연주합니다.

43. 여유를 찾아 컬러의 행위에 빠져들어, 풍경이 내면
에서 기쁨의 반영으로 변신해 보세요.

44. 컬러로 감정의 모자이크를 조합하면서, 풍경은 기쁨의 정원으로 피어 납니다.

12.
베를린, 독일
각 장면은 마치 당신을 품에 안아주는 풍경으로, 그리는 동안에 행복과 평온을 느낄 수 있는 기회가 될 거에요.

45. 색의 바다에 빠져들어, 각 스트로크가 기쁨의 리플이 되어 풍경이 행복의 안식처로 변해 갑니다.

46. 컬러를 통한 자가 돌봄의 예술을 발견하세요. 풍경은 내면의 평안함과 만족감을 반영합니다.

47. 색이 당신의 행복으로 향하는 길을 안내하도록
허락하세요.
풍경은 당신의 기쁨의 하모니로 물들여 집니다.

**48. 컬러의 히든 팔레트를 찾아보세요.
여기서 풍경은 기쁨의 이야기가 담긴
테이프스트리를 펼쳐 냅니다.**

13.
서울, 대한민국
이 페이지는 당신에게 새로운 관점을 선사하며, 작은 순간들을 크게 소중하게 만들어줄 거에요.

49. 컬러로 일상에 따뜻함을 불어넣으세요.
풍경은 당신의 기쁨의 걸작을 만들어내는 캔버스가 됩니다.

50. 순간들을 환한 색채로 채워 넣으며, 당신의 일상을
행복의 캔버스로 만들어 보세요.